28

juin

VOTRE ARBRE GÉNÉALOGIQUE

| Arrière-grand-père | Arrière-grand-mère | Arrière-grand-père | Arrière-grand-mère |

Grand-mère

Grand-père

JE SUIS NÉ(E)

Jour : ....

Année : ....

Heure : ....

Ville : ....

Pays : ....

Maman

MON POIDS

....

MA TAILLE

....

Moi

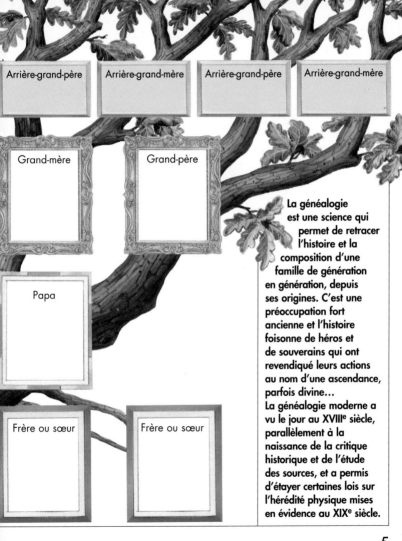

Arrière-grand-père

Arrière-grand-mère

Arrière-grand-père

Arrière-grand-mère

Grand-mère

Grand-père

Papa

Frère ou sœur

Frère ou sœur

La généalogie est une science qui permet de retracer l'histoire et la composition d'une famille de génération en génération, depuis ses origines. C'est une préoccupation fort ancienne et l'histoire foisonne de héros et de souverains qui ont revendiqué leurs actions au nom d'une ascendance, parfois divine…
La généalogie moderne a vu le jour au XVIIIe siècle, parallèlement à la naissance de la critique historique et de l'étude des sources, et a permis d'étayer certaines lois sur l'hérédité physique mises en évidence au XIXe siècle.

5

L'ORIGINE DES CALENDRIERS

La nécessité d'avoir des repères fiables dans le temps conduisit les Anciens à observer le mouvement des astres afin d'établir une périodicité. Grâce à la régularité du déplacement du Soleil, les hommes eurent très tôt une mesure du temps : le jour. Puis en observant le retour du Soleil à la même place sur l'horizon terrestre, ils en trouvèrent une autre : l'année, qui correspond environ à 12 évolutions de la Lune dans le ciel. L'année fut donc découpée en 12 mois. Autant de divisions qui permirent d'établir un calendrier, qui règle la vie des hommes depuis 4 000 ans… Certains peuples fondent leur calendrier sur l'évolution du Soleil, d'autres sur celle de la Lune.

La rotation de la Terre sur elle-même est de 24 h : c'est la journée. La Lune met environ 29 jours et demi pour

faire le tour de la Terre : c'est le mois lunaire, celui qui connaît le plus de variations. La Terre, elle, met 365 jours, 6 h et 9 min pour faire sa rotation autour du Soleil : c'est l'année solaire.

La Terre tourne sur elle-même et gravite autour du Soleil.

Ce sont les Égyptiens qui établirent le premier calendrier solaire de 365 jours. L'omission des 6 h 9 mn entraîna un décalage par rapport aux saisons. En 238 av. J.-C. on instaura le principe du jour supplémentaire,

La Terre est l'une des 9 planètes qui circulent autour d'une étoile, le Soleil, et forment le système solaire. Le Soleil est un globe ardent de gaz chauds d'un diamètre 109 fois plus grand que celui de la Terre. Ce n'est qu'une étoile parmi les 100 milliards d'étoiles qui forment notre galaxie, mais c'est la plus proche de la Terre.

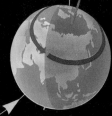

qui permettait de rétablir ce retard. Le calendrier imposé par Jules César systématisait ce principe en instaurant une année bissextile tous les 4 ans. Le décalage de 9 min qui subsistait fut l'objet de la réforme grégorienne de 1582.

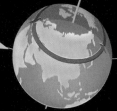

Les saisons sont inversées dans les 2 hémisphères.

LES CONSTELLATIONS DU ZODIAQUE

Au cours d'une année, le Soleil fait le tour du ciel en traversant 12 constellations, toujours les mêmes. La plupart d'entre elles ayant été baptisées de noms d'animaux par les Grecs, elles forment le cercle dit du zodiaque, qui signifie "figure animalière". Le Soleil reste 1 mois dans chacune d'elles et détermine le signe astrologique. Aujourd'hui, une constellation désigne une région du ciel et non uniquement un dessin, les astronomes ayant divisé le ciel en 88 constellations.

À force d'observer le ciel, les Anciens notèrent que certains groupes d'étoiles, dont ils se servaient pour s'orienter, dessinaient des figures auxquelles ils s'empressèrent de donner des noms de héros mythologiques ou d'animaux. Ainsi naquirent les constellations, dont les motifs n'ont guère changé depuis 4 000 ans. Ils remarquèrent que, comme le Soleil et la Lune, certains astres se déplaçaient parmi les constellations du zodiaque et les baptisèrent planètes, qui signifie "vagabond" en grec. Les Anciens ne connaissaient que 5 planètes visibles à l'œil nu : Mercure, Vénus, Mars, Jupiter et Saturne. Uranus, Neptune et Pluton, furent découvertes beaucoup plus tard.

LE ZODIAQUE

BÉLIER
21 mars - 20 avril

TAUREAU
21 avril - 20 mai

GÉMEAUX
21 mai - 22 juin

CANCER
23 juin - 22 juillet

LION
23 juillet - 23 août

VIERGE
24 août - 23 septembre

BALANCE
24 septembre -
23 octobre

SCORPION 24 octobre -
22 novembre

SAGITTAIRE 23 novembre -
21 décembre

CAPRICORNE
22 décembre -
20 janvier

VERSEAU
21 janvier - 19 février

POISSON
20 février - 20 mars

9

L'INFLUENCE DES PLANÈTES

Chaque planète a des propriétés spécifiques, tout comme les signes du zodiaque sur lesquels elles sont censées exercer une influence déterminante. Mars régit le signe du Bélier, Pluton le Scorpion, Vénus le Taureau et la Balance ; tandis que Saturne domine le Capricorne, Mercure la Vierge et les Gémeaux, Jupiter le Sagittaire, Neptune les Poissons et Uranus le Verseau. Le Soleil, qui est au centre de notre système solaire, fut adoré par de nombreuses civilisations anciennes. Il régit le signe du Lion, le "roi des signes", tandis que le Cancer est sous la tutelle de la Lune.

Les astronomes mésopotamiens et grecs de l'Antiquité observaient minutieusement les déplacements des "astres errants" dans les constellations du zodiaque : le Soleil, la Lune, Mars Mercure, Vénus, Jupiter et Saturne. Ils avaient noté que deux d'entre eux, le Soleil et la Lune, influençaient les phénomènes naturels : l'alternance des jours et des nuits, des saisons et des marées. Croyant que les astres

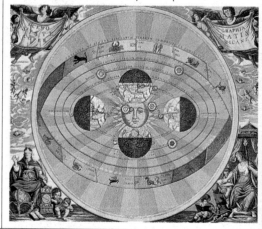

pouvaient aussi guider le cours des événements humains, ils attribuèrent une influence à chaque constellation du zodiaque et à chaque planète. Mars fut associé à la guerre en raison de sa couleur rouge et Saturne à la sagesse, pour sa lenteur. Ainsi sont nés l'astrologie et l'horoscope : selon la position que les planètes occupent les unes par rapport aux autres dans le ciel au moment précis de la naissance d'un individu, elles influent sur son caractère et son destin.

Les 9 planètes du système solaire

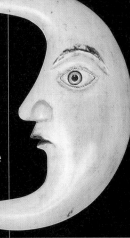

11

Le Cancer est influencé par ses émotions d'abord, par les autres ensuite, par tout enfin. Bref, il est influençable ! Bien sûr, il ressent plus qu'il n'est raisonnable les climats, les ambiances, les atmosphères. Et comme c'est un intuitif, il éprouve plus qu'il n'analyse. Il est timide encore et pourtant il a besoin des autres ; il guette le moindre signe qui lui apportera la preuve qu'il est favorablement accueilli.

Signe d'eau, féminin, nocturne, le Cancer, quatrième signe du zodiaque, est gouverné par la Lune. Il symbolise le principe de la maternité.

23 JUIN - 22 JUILLET

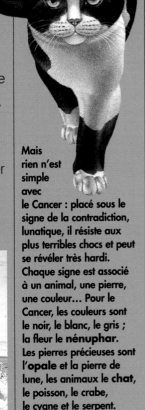

Quelle sensibilité, ce Cancer ! Il réagit au moindre événement. Et avec cela, imaginatif ! Attaché à sa famille et à son passé, il est doué d'une prodigieuse mémoire affective, mémoire des bienfaits comme celle des offenses. Pour s'épanouir, il lui faut un climat sentimental stable et positif. Mis en confiance et se sentant aimé, le Cancer est alors d'une agréable compagnie : chaleureux, gai, il pourra chérir et protéger ceux qu'il aime.

Mais rien n'est simple avec le Cancer : placé sous le signe de la contradiction, lunatique, il résiste aux plus terribles chocs et peut se révéler très hardi. Chaque signe est associé à un animal, une pierre, une couleur… Pour le Cancer, les couleurs sont le noir, le blanc, le gris ; la fleur le nénuphar. Les pierres précieuses sont l'opale et la pierre de lune, les animaux le **chat**, le poisson, le crabe, le cygne et le serpent. Son jour est le lundi.

13

nés ces 10 jours : **Amy Johnson** (ci-contre, 1er juillet 1903) fut, en 1930, la première femme à réaliser l'exploit d'une liaison en solitaire entre l'Angleterre et l'Australie. Swing, uppercut, esquive… Les gants de cuir volent à leur manière et les natifs du décan font

(30 juin 1966). D'autres ont la touche plus délicate et préfèrent le pinceau au gant. Mais là aussi même passion du mouvement : **Petrus Paulus Rubens** (28 juin 1577) est le grand maître du baroque flamand. Une sensuelle exubérance se dégage de ses toiles jouant à

C haque décan a ses particularités qui influent sur le caractère des personnes nées au cours de ces 10 jours. C'est la constellation de la Petite Ourse qui veille sur le 1er décan du Cancer. Elle lui donne entrain et opiniâtreté. Mais ce vif ascendant est tempéré par la douce influence de la Lune au charme plein de mystère et d'insaisissable. La magnifique et féline foulée de **Carl Lewis** (1er juillet 1961) ouvre le défilé des célébrités du décan. Ses 4 médailles d'or d'athlétisme sont à la hauteur des exploits aériens des fous volants

aussi merveille sur les rings comme en témoignent les 2 champions poids lourds, **Jack Dempsey** (24 juin 1895), en son temps le plus populaire des boxeurs, et l'actuel tenant du titre mondial, l'imposant **Mike Tyson**

loisir des effets lumineux, du relief des chairs, des formes souples et dynamiques. Son influence s'exerça non seulement sur la peinture mais également sur tous les autres arts plastiques et s'étendit bien au-delà des frontières de son pays (ci-contre, à gauche). L'œuvre d'**Hermann Hesse** (2 juillet 1877, à gauche, en bas) est aussi une quête d'harmonie. L'univers symbolique de ses romans invite à une réflexion

sur la dualité humaine et donne les clés pour la résoudre. Philosophe et écrivain, il a lui aussi exploré les voies de la sérénité et de la liberté : **Jean-Jacques Rousseau** (28 juin 1712, ci-dessus) sema les idées qu'allait bientôt cueillir la Révolution française.

George Sand, femme de lettres née le 1er juillet 1804, (en bas) se passionna également pour les courants démocratiques de son époque dont ses récits réalistes se firent l'écho. Née Aurore Dupin, elle prit un nom de plume masculin afin de protester contre le joug conjugal qu'elle bafouait déjà par ses liaisons.

Il allait lui aussi au bout de ses convictions : Thomas Cranmer (2 juillet 1489) fut le premier archevêque de religion protestante. Il fit traduire la Bible en anglais et adopta d'autres réformes dans son diocèse de Canterbury. Cette foi sobre déplut au roi : il fut exécuté. Point trop orthodoxe non plus, John Dillinger (23 juin 1903), le fameux pilleur de banques américaines !

Henri accède au trône à l'âge de 18 ans, en 1509. La même

Le 28 juin 1491 naquit l'homme qui allait devenir roi d'Angleterre sous le nom d'Henri VIII. Monarque brillant et tyrannique qui donna un nouveau visage à son pays, Henri VIII est réputé pour avoir été un véritable "Barbe-Bleue". En effet, il ne se maria pas moins de six fois, répudia trois de ses femmes et en fit exécuter deux...

année, il épouse Catherine d'Aragon, veuve de son frère Arthur. Sa femme ne pouvant lui donner de fils, et éprouvant par ailleurs une vive passion pour Anne Boleyn, une dame d'honneur de la reine, Henri décide de répudier son épouse. Il n'hésite pas pour cela à briser les liens entre son pays et le pape, qui lui refuse le divorce, et à se faire nommer chef de l'Église anglicane. Après

son divorce, Henri épouse Anne Boleyn et la fait couronner à Westminster. Mais il se lasse vite d'elle et la fait condamner à mort pour adultère, par un tribunal où siège le propre père de l'infortunée. Cette jeune femme de 29 ans laisse une fille, la future Élisabeth Iʳᵉ. Le lendemain, Henri VIII épouse Jane Seymour, qui mourra un an plus tard, en 1537, après avoir donné naissance au futur Édouard VI. En 1540, Henri VIII épouse Anne de Clèves, qu'il répudie au bout de 6 mois. Le roi convole alors en cinquièmes noces avec Catherine Howard, qu'il fait décapiter pour inconduite, en 1542. Catherine Parr eut plus de chance puisqu'elle survécut au roi. Elle se remaria un mois après la mort du souverain, en 1547, avec Thomas Seymour, frère de Jane, troisième épouse de son défunt mari…

Ce jour dans le monde

C'est ce jour, en 1519, que **Charles Quint** est élu empereur du Saint-Empire (ci-contre). Ce monarque redouté de la Renaissance, adversaire de la Réforme, de la France de François Ier puis d'Henri II, ainsi que de l'Empire ottoman, est l'un des plus illustres représentants de la famille des Habsbourg. Il termina ses jours en Espagne, dans un monastère. Autre avènement historique : c'est un 28 juin, en 1838, que sera couronnée, à l'âge de 19 ans, la reine **Victoria** (ci-dessous). Son règne, qui dura

63 ans, est le plus long de l'histoire de l'Angleterre. Durant cette période, l'empire colonial britannique atteignit son apogée, dominant un quart du monde. Le 28 juin est aussi étroitement associé aux 2 conflits mondiaux qui ont endeuillé le XXe siècle. En 1919, c'est un 28 juin que fut signé, dans la fameuse galerie des Glaces, le **traité de Versailles** (ci-contre) qui mit fin à la Première Guerre mondiale, mais dont l'intransigeance fut aussi cause de la Seconde. C'est également un 28 juin, en 1948, que commença le pont aérien sur Berlin-Ouest. Décidée par les autorités américaines, l'opération avait pour objectif de contrecarrer le blocus que les Soviétiques faisaient peser sur la ville pour protester contre l'intention alliée d'unifier les zones d'occupation anglo-saxonnes. Sans cesse, des avions se relayèrent

pour ravitailler les Berlinois affamés. Finalement, l'URSS ne voulant pas risquer une nouvelle guerre, le blocus fut officiellement levé le 12 mai 1949 après des négociations secrètes. Le pont aérien des Alliés se poursuivit néammoins jusqu'au 30 septembre.

Enfin, le 28 juin 1935, le président américain F. D. Roosevelt réclama la construction à Fort Knox, dans le Kentucky, d'un édifice pouvant contenir toute la réserve fédérale d'or des États-Unis. Il entendait ainsi centraliser les richesses nationales pour mieux les contrôler.

L'ÉVÉNEMENT DU JOUR

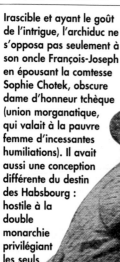

Irascible et ayant le goût de l'intrigue, l'archiduc ne s'opposa pas seulement à son oncle François-Joseph en épousant la comtesse Sophie Chotek, obscure dame d'honneur tchèque (union morganatique, qui valait à la pauvre femme d'incessantes humiliations). Il avait aussi une conception différente du destin des Habsbourg : hostile à la double monarchie privilégiant les seuls Hongrois et à la récente annexion de la Bosnie-Herzégovine, il prônait un tripartisme associant à l'Empire les Slaves de Roumanie, de Dalmatie et de Croatie. Il voulait ainsi créer un bloc yougoslave neutralisant le panslavisme de la jeune Serbie. Avec de telles vues, François-Ferdinand avait de nombreux ennemis, tant serbes que hongrois – et même au sein des services autrichiens, qui le laisseront se rendre en Bosnie en sachant parfaitement que la situation est explosive... De fait, dès son arrivée, une bombe (manquant son but) fut lancée sur sa voiture, ce qui n'empêcha pas les autorités locales d'affirmer qu'il pouvait sans danger poursuivre sa visite !

Si bien que le couple royal s'offrit au pistolet de Princip. Enrôlé par la société secrète Narodna Obrana ("Main Noire"), celui-ci était aussi affilié

Die Katastrophe von Sarajewo.
Attentat auf Erzherzog Franz Ferdinand und Herzogin von Hohenberg.
Mit Bombe und Browning.
Der Thronfolger und seine Gemalin ermordet.
Zwei Attentate.
Die Attentäter verhaftet.

L'ATTENTAT DE SARAJEVO

au groupe Mlada Bosna ("Jeune Bosnie"). Qu'il ait ou non été manipulé par Belgrade, les conséquences seront les mêmes : le 28 juillet, l'Autriche

L e 28 juin 1914 le sort de l'Europe bascule. En visite à Sarajevo, l'archiduc François-Ferdinand, héritier de la couronne d'Autriche-Hongrie, et son épouse, sont assassinés. Le meurtrier est aussitôt arrêté : c'est un étudiant serbe nommé Gavrilo Princip, qui ignore que son geste sera le prologue de la Première Guerre mondiale.

déclarait la guerre à la Serbie. La poudrière des Balkans avait fini par provoquer une déflagration à l'échelle mondiale.

LES INVENTIONS DE JUIN

Chaque mois de l'année voit naître son lot d'inventions qui transforment le cours de notre vie quotidienne. Juin ne fait pas exception. La première véritable **machine à écrire** date du 23 juin 1867. Elle fut brevetée par Christopher Latham Scholes sous le nom de "piano à écrire". Avant lui, beaucoup s'étaient penchés sur le problème, en vain. Scholes n'était rien moins que le 53e sur la liste. Un Anglais avait déposé un projet en 1714, mais il ne parvint jamais à le réaliser. En 1829, un Américain mit au point un engin qu'il baptisa *typographer*. Un autre accoucha d'un *ktyptographe* en 1833. Tous deux se révélèrent inutilisables.

Juin est propice à l'écriture : le Hongrois Laszlo Biro inventa le **stylo bille**, un 10 juin, en 1938. Malin, il vendit vite sa trouvaille à un homme d'affaires argentin. De la plume, passons à un drôle d'oiseau, qui s'éleva, le 5 juin 1783, dans le ciel d'Annonay, en Ardèche. Les frères Montgolfier testaient pour la première fois leur **ballon à air chaud**, qu'ils appelaient ballon à feu. Tout reposait en effet sur le feu qui produisait une masse d'air chaud capable d'élever le ballon. Trois mois plus tard, les Montgolfier rééditèrent l'exploit à Versailles, devant Louis XVI et 10 000 curieux. Cette fois,

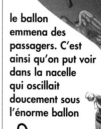

le ballon emmena des passagers. C'est ainsi qu'on put voir dans la nacelle qui oscillait doucement sous l'énorme ballon

"Montauciel". Le coq, trop téméraire, se rompit le cou. Quant au mouton, plus serein, il revint sain et sauf et eut l'insigne honneur d'intégrer la bergerie de Marie-Antoinette.

Benjamin Franklin n'était jamais à court d'idées. L'homme d'État américain avait déjà imaginé les verres à double foyer ; plus tard il inventera le paratonnerre en utilisant un cerf-volant sous l'orage. Mais le 11 juin 1742, il pensa aux gourmets et mit au point la **première cuisinière**, celle de nos grand-mères où la bûche flambe et où le café mijote. "Joyeux anniversaire"… Que de fois ne vous a-t-on pas chanté ce refrain ! C'est une institutrice du Kentucky, Mildred Hill,

de taffetas, peint en bleu azur et orné de fleurs de lys, un canard, un coq et un mouton surnommé

qui en composa la mélodie, le 27 juin 1859. En fait, la chanson

s'intitula d'abord *Happy Morning*, ou "Bon réveil à tous". La sœur de Mildred, Patty, écrivit un texte plus circonstancié : ***Happy birthday to you***, qui a fait, depuis, le tour du monde.

23

Au rythme des saisons

D ans le monde entier, l'été est la saison féconde par excellence. Sous les latitudes tempérées, c'est l'époque des moissons. On remplit les silos. Partout l'on s'active, malgré la chaleur et les insectes bourdonnants, pour engranger céréales et graminées. Dans le Grand Nord, l'été est court, mais intense. Le jour n'en finit plus et le Soleil ne passe que des nuits blanches. En trois mois à peine, le grand cycle de la vie s'accomplit dans la toundra.

L'été, la végétation arrive à maturité. Plantes sauvages ou cultures vivrières se disputent l'espace. Le moment est venu de récolter. Le blé, l'orge et le seigle produiront la farine. Selon la tradition, la dernière gerbe fauchée

sera accrochée au-dessus du seuil, comme porte-bonheur. Du colza et du tournesol on extraira l'huile. Le maïs, cueilli un peu plus tard, servira à la nourriture des hommes et des animaux. Dans certaines régions, on cultive encore l'épeautre, le millet ou le sarrasin, des céréales très appréciées mais qui tendent à disparaître au profit des cultures intensives.

Tête au soleil et pieds dans l'eau, le riz est la céréale la plus cultivée au monde. Depuis 7 000 ans, elle nourrit une bonne partie de l'humanité. Au nord, sur la toundra, c'est un festival éphémère de plantes et de fleurs. Les oiseaux reviennent du sud. Les rennes remontent vers les landes grises. Les animaux qui ont hiberné se courtisent, se fécondent, puis élèvent en hâte leurs rejetons. Tous les 4 ans, le lemming (en haut, à gauche), un petit rongeur d'Europe du Nord, vit un véritable boom démographique. Le renard polaire (ci-dessous), qui s'en nourrit, en profite pour agrandir aussi sa famille. Tous, comme le lièvre arctique (à gauche), quittent leur robe d'hiver que les prédateurs confondent avec le paysage de neige, pour un pelage fauve mieux adapté aux couleurs de l'été.

LES FÊTES DE JUIN

En juin, le printemps jette ses derniers feux, l'été reprend le flambeau : c'est le mois du Soleil. On le fête en dansant, en allumant des feux, en se livrant à des ablutions. Dans l'hémisphère Nord, c'est le temps du **solstice d'été**, le jour le plus long de l'année… Dans l'hémisphère Sud, c'est le contraire, on est en hiver ! Mais où que l'on soit, c'est la joie. Au Mexique, des hommes se suspendent à un mât de 30 m et planent, une corde nouée à la taille : c'est la danse traditionnelle des *Voladores*.

En Scandinavie, on orne les jardins de fleurs et de tonnelles touffues et l'on danse autour des arbres. Dans toute l'Europe, on célèbre la **Saint-Jean** en formant des rondes autour d'immenses feux. Ces danses ont la forme circulaire du Soleil, rondeur féconde, promesse de moissons abondantes et d'enfants vigoureux. On saute aussi au-dessus du feu : plus haut est le saut, meilleure sera la récolte. À l'aube, on ira cueillir des plantes, tout humides encore de rosée. Car l'eau de la nuit de la Saint-Jean a des vertus magiques : elle purifie, protège ou guérit des maladies. On confectionne des tisanes de sauge ou de verveine, des infusions de millepertuis.

Juin se rattache donc aux mythes de l'énergie repuisée dans les éléments. C'est en enterrant dans des chambres souterraines de petites poupées peintes, les **katchinas** (ci-contre), le jour du solstice, que les Indiens Hopis des États-Unis affirment leur lien à la nature. Les katchinas figurent l'âme des morts. Grâce à ce "retour à la maison", les âmes s'imprègnent des forces de la terre. Au solstice d'hiver, elles sont déterrées et permettent à la tribu de se protéger contre les rigueurs de l'hiver. En Asie, certains préfèrent l'eau pour célébrer les dieux. Pour commémorer la venue au monde de la déesse **Gange**, ils se baignent dans le fleuve

(ci-dessous). Ailleurs en Asie se forment des processions dansantes accompagnées de jets de riz. En Angleterre, le 13 juin, c'est *Trooping the Colours*. Les soldats de la Garde défilent devant la reine qui leur présente le drapeau anglais. Aux États-Unis aussi, on fête la bannière nationale. Le 14 juin est le **Flag Day**, jour où, en 1777, le Congrès a remplacé le drapeau anglais par celui de l'Union aux 13 étoiles sur fond d'azur et aux 13 bandes rouges et blanches. *Big Sam* a aujourd'hui 15 étoiles sur son chapeau (à gauche).

27

Voici venu le temps des grands départs. On voit la mer pour la première fois de sa vie. Camping, joies de la pêche, auberge de jeunesse, balades en vélo, c'est l'échappée belle ! "Allons au-devant de la vie", entend-on chanter sur les chemins. On va enfin pouvoir en profiter. Les salaires augmentent : achetons ! On découvre les charmes de la société de consommation. On crie haro sur les vieilles règles : culte du sacrifice, du devoir et de la famille.

1936, c'est la revanche de l'individu pour une génération élevée dans les souvenirs de guerre. La politique passe de l'idéalisme à l'humanisme.

T out est possible", tel est le mot d'ordre qui résonne à toutes les oreilles à la veille du mois de juin 1936. Certains tremblent, d'autres dansent. Partout des grèves éclatent, la France est paralysée. La gauche espère une révolution, la droite s'effraie. Que vont faire le Front populaire et le socialiste Léon Blum une fois installés au pouvoir ? Voter la semaine de quarante heures et les congés payés. Reconnaître le droit de grève aux travailleurs et l'existence des syndicats dans les accords Matignon signés avec le patronat. Faire entrer les femmes au gouvernement. Des réformes douces en apparence. Loin de là en réalité : elles engendrent une société nouvelle, des mœurs inédites basées sur le loisir, le dialogue, le droit à l'expression.

❝ Volets ouverts
des lilas plein les bras
et brune et blonde et rousse
une chanson pieds nus traverse la maison **❞**

JACQUES PRÉVERT